Mon quartier

La caserne de pompiers

Aaron Carr

Weigl

Publié par Weigl Educational Publishers Limited
6325 10th Street SE
Calgary, Alberta T2H 2Z9
Site web : www.weigl.ca

Catalogage avant publication de Bibliothèque et Archives Canada

Carr, Aaron
[Fire station. Français]
La caserne de pompiers / Aaron Carr.

(Mon quartier)
Traduction de: The fire station.
Publié en formats imprimé(s) et électronique(s).
ISBN 978-1-77071-942-2 (relié).--ISBN 978-1-77071-943-9 (livre numérique multiutilisateur)

1. Casernes de pompiers--Ouvrages pour la jeunesse.
2. Pompiers--Ouvrages pour la jeunesse. I. Titre. II. Titre: Fire station. Français.

TH9148.C3714 2013 j628.9'25 C2013-904625-9
C2013-904626-7

Imprimé à North Mankato, Minnesota, aux États-Unis d'Amérique
1 2 3 4 5 6 7 8 9 0 17 16 15 14 13

072013
WEP120613

Coordonnatrices de projet : Heather Kissock et Megan Cuthbert
Conceptrice : Mandy Christiansen
Traduction : Tanjah Karvonen

Weigl reconnaît que les images Getty sont le principal fournisseur d'images pour ce titre.

Tous les efforts raisonnablement possibles ont été mis en œuvre pour déterminer la propriété du matériel protégé par les droits d'auteur et obtenir l'autorisation de le reproduire. N'hésitez pas à faire part à l'équipe de rédaction de toute erreur ou omission, ce qui permettra de corriger les futures éditions.

Dans notre travail d'édition nous recevons le soutien financier du gouvernement du Canada par l'entremise du Fonds du livre du Canada.

La caserne de pompiers

Table des matières

Ceci est mon quartier.

La caserne de pompiers est dans mon quartier.

Les gens appellent la caserne de pompiers quand il y a un incendie.

Ils appellent aussi la caserne de pompiers s'ils sont en danger.

Je vois des pompiers dans mon quartier.

Les pompiers éteignent les feux. Ils assurent la sécurité des gens et des édifices de mon quartier.

Les pompiers se servent de camions d’incendie pour les aider à éteindre les feux.

Les camions d’incendie ont des boyaux et des échelles qui atteignent les endroits élevés.

La caserne de pompiers a un grand garage. C'est là que l'on stationne les camions d'incendie.

Le garage a aussi des outils pour lutter contre le feu.

Les pompiers aident les gens de mon quartier qui sont blessés.

Ils sauvent parfois les gens et les animaux.

Les pompiers s'assurent que les édifices de mon quartier ne posent aucun danger.

Ils montrent aux gens quels outils doivent être utilisés pour arrêter un incendie.

Je peux visiter la caserne de pompiers avec ma classe de l'école.

On me laisse aussi parfois utiliser l'équipement d'un pompier.

Les pompiers participent aux événements du quartier.

Ils participent aux défilés et renseignent les gens sur la sécurité-incendie.

Vous voyez ce que vous avez appris sur les casernes de pompiers et sur les pompiers.

Laquelle de ces images ne montre pas les services de pompiers ?

DEFENDING LIBERTY
STREET
OUR TROOPS
TEN HOUSE
F.D.
N.Y.
"STILL STANDING"
Seagrave
10